É. Ezan et J.-M. Scherrmann

Comment les MÉDICAMENTS nous soignent-ils ?

Les Petites Pommes du Savoir

Éditions
Le Pommier

conception graphique :
Atelier Daniel Leprince
relecture : Valérie Gautheron

Le Pommier, 2009
Tous droits réservés
ISSN : 1625-1245
ISBN 13 chiffres : 978-2-7465-0437-0
239, rue Saint-Jacques, 75005 Paris
www.editions-lepommier.fr

Collection développée avec le concours du ministère de la
Culture et de la Communication (Centre national du livre
et Cité des sciences et de l'industrie), dans le cadre du Fonds
Jules-Verne.

Qu'est-ce qu'un médicament ?

Le médicament a reçu de nombreuses définitions, dont celle de notre code de santé publique qui présente le médicament comme une substance ou une composition possédant des propriétés curatives ou préventives à l'égard des maladies humaines ou animales. Le médicament est en général composé d'un ou de plusieurs principes actifs dotés de propriétés thérapeutiques démontrées au cours d'essais cliniques et d'un ou de plusieurs **excipients**, qui sont des substances inertes servant à formuler le médicament sous une forme pharmaceutique appropriée, comme des comprimés, gélules, sirops ou pommades par exemple. Sont également considérées comme des médicaments les substances ou compositions permettant d'établir un diagnostic médical (exemple des produits de contraste en radiologie) et les produits diététiques qui présentent dans leur composition des substances ayant une action de thérapeutique diététique. D'une manière générale, n'est pas médicament qui veut : beaucoup de textes réglementaires fixent les frontières au-delà desquelles une substance n'est pas considérée comme un médicament.

Malgré le caractère restrictif de la définition du médicament, il existe beaucoup de types de médicaments qui peuvent varier selon leur nature : substances de synthèse chimique, substances chimiques extraites du monde végétal, substances biologiques, comme les protéines, les gènes, les cellules.

 On parle aussi de **médicaments génériques,** orphelins. Dans le premier cas, le générique est une copie d'un médicament qui est déjà sur le marché. Par « copie », nous devons comprendre que le(s) principe(s) actif(s) est (sont) identiques à celui (ceux) de l'original et que seuls les excipients diffèrent.

Un médicament générique ne peut être mis sur le marché que si la démonstration de sa bioéquivalence avec le médicament de référence est établie. Cet élément est capital et doit effacer des esprits des consommateurs toute forme d'inquiétude quant à la qualité des génériques, qui ont une activité thérapeutique équivalente à la forme princeps. Les **médicaments orphelins** sont désignés ainsi en raison du faible nombre de patients à traiter, ce qui les exonère, dans la période de développement, d'études cliniques lourdes et permet une mise sur le marché bien plus rapide et beaucoup moins onéreuse que dans le cas d'un médicament classique. Lorsqu'un médecin prescrit un médicament, il se réfère, en général, au nom de la spécialité pharmaceutique – le nom commercial du médicament –, qui est presque toujours différent du nom chimique, ou biologique, de la substance active. Ainsi l'« aspirine » est-il le nom commercial, et l'acide acétylsalicylique le nom chimique, de ce médicament ô combien populaire que chacun a consommé au moins une fois dans sa vie.

Globalement, l'encadrement réglementaire du médicament est très important, tant en France que dans de nombreux autres pays. Des agences spécialisées comme l'Agence française de sécurité sanitaire des produits de santé (Afssaps) ou la Food and Drug Administration (FDA) aux États-Unis suivent les principales étapes du développement d'un médicament et lui accordent son droit à la commercialisation.

Comment crée-t-on un médicament ?

Il faut dix à quinze ans pour créer un médicament… et beaucoup d'argent ! Il s'agit probablement du produit industriel le plus difficile à créer. L'histoire débute avec la recherche d'une substance active vis-à-vis d'un domaine thérapeutique qui occupe autant les chimistes que les biologistes. Une fois ces substances préparées et, en général, brevetées débutent de nombreux essais en laboratoire qui vont définir leurs cibles d'action. Ces essais sont initialement réalisés sur du matériel biologique isolé (organes, cellules) avant d'être reproduits sur des animaux de laboratoire. Parallèlement à ces études visant à démontrer l'efficacité de la substance sont conduites des études de toxicologie pour rechercher tous les risques que pourrait entraîner la consommation humaine de cette substance. Si cette première phase, qui peut durer trois à quatre années, ne révèle pas de défauts, les études de développement vont se succéder afin de décrire le parcours du futur médicament dans l'organisme – c'est son **étude pharmacocinétique** –, puis il faudra concevoir une forme pharmaceutique tenant compte de la voie d'administration que l'on aura choisie. Cette étape de formulation est dénommée **galénique** – l'art de formuler le médicament. C'est ainsi que cinq à six années après la découverte de la substance, et après toutes ces études pré-cliniques, se dérouleront les premières études chez l'homme, appelées **études cliniques**. Ces études sont structurées en trois phases afin d'apprécier la bonne tolérance du produit chez l'homme (phase I), puis son efficacité et son domaine d'indications thérapeutiques (phases II et III). L'une des grandes originalités dans la découverte des médicaments intervient de manière surprenante lors de ces phases. C'est en décortiquant tous les effets que la nouvelle substance produit chez des milliers de patients que l'on peut découvrir des indications thérapeutiques insoupçonnées. Un exemple intéressant est celui de la spécialité Imodium, connue pour traiter les diarrhées, alors que lors des études de laboratoire, la substance active était destinée à cibler les récepteurs du cerveau pour lutter contre la douleur. Cet exemple est loin d'être isolé et montre combien la découverte d'un médicament peut être truffée de bonnes et mauvaises surprises. Ce long parcours s'achèvera dix à quinze ans après par la présentation d'un dossier de demande d'autorisation de mise sur le marché qui sera examiné par les autorités compétentes des pays susceptibles de commercialiser le médicament.

Comment a-t-on découvert les médicaments ?

De l'Antiquité au XIXe siècle, les substances aidant l'homme à lutter contre les maladies vinrent des plantes médicinales. En particulier l'époque des grands explorateurs fut faste, avec l'introduction sur notre continent de substances actives comme le quinquina, le coca, le café... Les progrès de la chimie, au XIXe siècle, permirent d'isoler les substances actives de ces plantes. On isola ainsi la morphine de l'opium, la quinine du quinquina, l'acide acétylsalicylique de l'écorce de saule... C'est à l'aube du XXe siècle qu'apparurent les premières synthèses chimiques, avec l'aspirine, puis des antipaludéens et des antibactériens. Ces premières synthèses furent annonciatrices de la découverte de toutes les principales classes pharmacologiques de médicaments : antihistaminiques, anticoagulants, psychotropes et bien d'autres suivront – toutes celles qui permettent de soigner la majorité des maladies.

Depuis les années 1990, un tournant a été pris avec l'arrivée des biotechnologies qui ont ouvert l'accès à de nouveaux types de médicaments comme les anticorps monoclonaux et diverses protéines recombinantes comme le facteur de croissance des globules rouges, l'érythropoïétine (des exemples en seront décrits dans le chapitre sur la nouvelle génération de médicaments). L'heure du génie génétique, du génie cellulaire et de la thérapie génique vient de sonner et va contribuer à l'apparition de nouveaux types de médicaments capables de remplacer les éléments biologiques (protéines, cellules…) défaillants. De nouvelles perspectives s'ouvrent pour compléter l'arsenal thérapeutique au bénéfice de la santé humaine et poursuivre l'écriture sans fin de l'histoire du médicament. Actuellement, en France, il existe un peu plus de quatre mille médicaments et une vingtaine de nouveaux apparaissent chaque année, dont une majorité est issue des biotechnologies. Cet imposant arsenal de substances actives témoigne de cette longue histoire des moyens recherchés par l'homme pour lutter contre les maladies.

Comment agissent les médicaments ?

Notre corps est principalement composé de cellules qui contiennent notre patrimoine héréditaire, porté par nos gènes. Une de leurs fonctions est la synthèse de **protéines**, assemblages de petites structures chimiques appelées « acides aminés ». Ces protéines jouent plusieurs rôles essentiels et seront une des cibles des médicaments. Elles sont le « ciment » de l'édifice que constitue notre organisme car elles renforcent les parois cellulaires et contribuent à la cohésion des cellules. Elles sont aussi des messagers entre nos cellules et nos organes : par exemple, des protéines synthétisées dans le cerveau qu'on appelle les **hormones** sont distribuées par la circulation sanguine pour stimuler le foie, la thyroïde ou les organes de la reproduction. Enfin, une famille de protéines appelée les **enzymes** participent à la formation des **métabolites**, petits composés chimiques qui sont à leur tour source d'énergie ou vecteurs d'information – certaines hormones appartiennent à cette catégorie.

Imaginons le corps humain comme un espace géographique avec des villes (nos organes) reliées par des routes (notre circulation sanguine qui transporte les protéines et les métabolites) et un réseau électrique (notre système nerveux). Nous connaissons tous les conséquences d'une grève des transports, d'une panne d'électricité ou d'une autoroute coupée et les moyens pour remettre tout en ordre. Il en est de même dans l'organisme où nos composants – gènes, protéines et métabolites – vivent dans un équilibre qui peut être perturbé de diverses façons : agressions extérieures, comme les microbes ou les polluants (fumée de cigarette, toxiques chimiques de l'environnement), alimentation déséquilibrée ou carencée (par exemple, excès de lipides ou manque de vitamines) ou déficiences génétiques dues à des facteurs héréditaires et au vieillissement cellulaire. De ces perturbations vont naître les maladies. Au cours de l'évolution, l'homme a pu utiliser son environnement pour y remédier mais plus récemment, avec l'avènement de la médecine moderne, il a su mieux comprendre sa physiologie pour créer une discipline appelée **pharmacologie** dont le but est d'étudier les interactions des substances chimiques avec le vivant. Ainsi ont été créés les médicaments, avec pour objectif de rétablir ou de ralentir les systèmes perturbés et d'éliminer les agents pathogènes. Les médicaments sont le plus souvent des structures chimiques qui miment les métabolites et se lient aux protéines pour moduler leur activité. Là est la difficulté pour les chimistes qui synthétisent ces composés : ils doivent cibler des substances qui se fixent sur une protéine particulière avec une grande spécificité. Dans le cas contraire, on exposera l'organisme à des effets non désirés qui contribueront à la toxicité et aux effets secondaires.

Tout est communication dans le corps humain et les acteurs principaux en sont les protéines. Nous avons déjà vu les enzymes et les hormones mais il existe aussi une autre classe de protéines particulières, appelés **récepteurs cellulaires**. Ce sont des « boîtes à lettres » qui récupèrent les messages chimiques et les transmettent à l'intérieur de la cellule pour ordonner à la machinerie cellulaire diverses opérations : division, migration, production d'hormones… Par exemple, notre système nerveux, qui contrôle notre état mental, notre digestion ou nos mouvements, est entièrement sous le contrôle de récepteurs protéiques. Disposés sur nos neurones, ils vont capter des petits médiateurs chimiques comme la dopamine ou l'adrénaline, et permettre la transmission de l'influx nerveux aux neurones voisins. Dans le cas de pathologies liées au système nerveux, on pourra utiliser des médicaments qui auront la propriété d'activer (on parlera d'« agoniste ») ou d'inhiber (on parlera d'« antagoniste ») ces récepteurs. Cela concerne de nombreuses maladies liées au système nerveux comme la dépression, l'épilepsie, la maladie de Parkinson ou les troubles du sommeil.

Les récepteurs de la transmission neuronale ne sont qu'un exemple. Afin de combler un déficit de production d'insuline par le pancréas dans le cas du diabète dit de type 1, de l'insuline est administrée sous forme de médicament. Son action sera de stimuler les récepteurs à insuline présents sur les cellules du foie et de les forcer à stocker le glucose sanguin sous la forme d'un polymère appelé « glycogène ».

Le système hormonal, extrêmement riche en récepteurs, est lui-même une cible privilégiée des médicaments. C'est le cas des contraceptifs qui vont transmettre de faux messages aux acteurs du cycle hormonal. Chez la femme, l'ovulation est sous le double contrôle d'hormones produites par les ovaires et par l'hypophyse, une petite glande située sous le cerveau. Au cours du cycle menstruel, la production d'œstradiol pendant la première moitié du cycle stimule l'hypophyse et la conduit à produire une hormone favorisant la production d'ovocytes, cellules impliquées dans la fécondation. Les médicaments contraceptifs contiennent entre autres des analogues chimiques de l'œstradiol qui vont bloquer son action au niveau de son récepteur hypophysaire et donc contribuer à l'arrêt du cycle menstruel. Un autre exemple concerne les **glucocorticoïdes**, médicaments anti-inflammatoires qui se lient à des récepteurs cellulaires et conduisent à une réduction des médiateurs lipidiques et des protéines impliqués dans la réaction inflammatoire. Le résultat est une diminution de l'activité du système immunitaire particulièrement utile dans le traitement de l'allergie ou des maladies comme la polyarthrite rhumatoïde.

Enfin, notre organisme est très riche en transporteurs et en récepteurs de petits éléments comme le calcium, le sodium ou l'hydrogène, impliqués dans la contraction musculaire, la digestion ou la régulation de la fonction rénale. La modulation de leur activité est une cible largement exploitée. Un exemple en est un inhibiteur de la sécrétion acidique de l'estomac qui permet de prévenir les ulcères.

Comme nous l'avons vu rapidement plus haut, un grand nombre de protéines sont des enzymes qui conduisent à la fabrication de substances chimiques responsables de l'activation cellulaire. Il convient parfois de les modérer pour diminuer des réactions métaboliques ou inflammatoires excessives.

Prenons pour exemple de petites molécules appelées « prostaglandines » et apparentées à des lipides qui participent à la conduction des sensations douloureuses. Un médicament très connu, l'acide acétylsalicylique, permet d'inhiber l'enzyme responsable de leur production et d'induire une analgésie que nous avons tous pu éprouver en prenant un comprimé d'aspirine qui contient ce principe actif. Un des médicaments les plus vendus dans le monde, les statines, travaille de la même façon. Leur action sur une enzyme au nom compliqué (la HMG-CoA réductase) a pour effet de réduire la production de cholestérol endogène, et donc sa concentration dans le sang. Cette classe de médicaments est à l'heure actuelle une des plus utilisées pour le traitement des maladies cardiovasculaires. Des médicaments ciblant certaines maladies du cerveau sont aussi des inhibiteurs de fonctions enzymatiques. Dans la maladie d'Alzheimer, les patients ont une déficience d'acétylcholine, un médiateur qui assure la transmission de l'influx nerveux, essentiel pour les processus cognitifs comme la mémoire, l'attention ou la pensée. L'administration de médicaments conçus pour inhiber la cholinestérase, l'enzyme qui dégrade l'acétylcholine, permet de soigner ces patients.

Les médicaments destinés à lutter contre les infections ont le même mode de fonctionnement. Par exemple, la **pénicilline**, un antibiotique bien connu, empêche le fonctionnement d'une enzyme bactérienne qui permet aux micro-organismes de fabriquer leur paroi cellulaire. De la même façon, les antirétroviraux utilisés pour lutter contre le virus du sida inhibent une enzyme appelée « polymérase à ARN », qui permet aux virus de se reproduire à l'intérieur de la cellule.

Il est à noter qu'une même pathologie peut faire appel à deux médicaments dont les modes d'action sont différents. Par exemple, la tension artérielle est principalement due à l'action constrictrice d'une très petite protéine, l'angiotensine, qui se lie à un récepteur des muscles lisses des vaisseaux sanguins et provoque leur contraction. La réduction de cette contraction permet de réduire la tension. À cette fin, on peut soit utiliser un médicament qui va inhiber l'enzyme responsable de la formation de l'angiotensine, soit utiliser un composé qui va empêcher cette dernière de se fixer sur son récepteur. Cet exemple montre que seule la connaissance complète des mécanismes biochimiques et physiologiques impliqués dans une pathologie permet d'élargir l'éventail des possibilités thérapeutiques.

On pourrait donc résumer l'action des médicaments à leur action sur diverses protéines qui jouent le rôle de portes d'entrée (les récepteurs) et d'usines chimiques (les enzymes) dans notre organisme. Cependant, d'autres cibles existent : on peut citer des produits anticancéreux ou antibactériens qui inhibent le fonctionnement cellulaire en agissant directement sur les gènes eux-mêmes, bloquant ainsi la formation des protéines. La **biochimie** (branche de la chimie qui concerne le vivant) nous permet maintenant de mieux connaître toutes ces cibles et de tester la formidable diversité chimique offerte par les banques de composés proposés par les chimistes. Cependant, en plus d'être actives, toutes les molécules prometteuses doivent être dépourvues d'effets toxiques et être administrables à l'homme.

Le parcours du médicament dans l'organisme

Un médicament doit bien évidement entrer dans l'organisme, atteindre sa cible et y séjourner suffisamment de temps pour y exercer une action thérapeutique. Au cours de l'évolution, notre organisme a appris à se défendre contre les composés étrangers. Les défenses immunitaires contre les infections en sont un bel exemple ; il en est de même des systèmes mis en place pour se protéger des intrus que sont les médicaments. Fabriquer un médicament qui échappe à nos défenses est un défi et cela explique en partie pourquoi il est si long de développer un médicament. En effet, de nombreux produits chimiques actifs *in vitro* (c'est-à-dire dans un système simple comme un mélange de cellules) ne sont pas capables de devenir des médicaments, car ils ne peuvent être assimilés par l'homme ou sont trop rapidement éliminés de notre circulation sanguine.

Le plus souvent, les médicaments sont administrés par voie orale, enrobés d'excipients de façon à faciliter leur prise et contrôler leur dissolution dans le système gastro-intestinal. En empruntant le chemin des aliments, les médicaments quittent l'estomac pour pénétrer dans l'intestin grêle où ils rencontrent les cellules de la paroi intestinale qui, naturellement, empêchent les substances étrangères de pénétrer l'organisme. Pour franchir cette première barrière, les médicaments doivent être suffisamment solubles dans les matières grasses présentes dans les parois de ces cellules. Le plus souvent, une partie ne sera pas absorbée et quittera l'organisme en continuant son chemin dans l'intestin pour finir dans les matières fécales. L'autre partie traversera l'intestin pour y être conduite vers le **foie**, une usine chimique que le corps a mise en place pour détoxifier ou transformer les substances provenant de l'intestin. Le foie contient une famille d'enzymes appelés **cytochrome P450** dont la fonction est de **métaboliser** (c'est-à-dire de modifier chimiquement) les médicaments pour qu'ils soient facilement éliminés par les reins et la bile. À ce niveau il est intéressant de noter que nous avons tous des quantités différentes de cytochromes. De ce fait, un médicament administré à la même dose chez plusieurs patients peut se traduire par une forte métabolisation et par l'absence d'effet, ou par une faible métabolisation conduisant à de fortes concentrations et à des effets toxiques. Une des raisons de ces différences est le patrimoine génétique : par exemple, les populations européennes et asiatiques peuvent métaboliser différemment les médicaments, notamment ceux utilisés pour traiter certaines maladies du système nerveux. Une autre raison est liée à notre environnement : la flore intestinale qui est, entre autres, modulée par nos habitudes alimentaires, a aussi son influence : une étude récente a montré que la présence de certaines bactéries peut modifier l'efficacité du paracétamol, un médicament bien connu pour ses propriétés analgésiques. Certains produits alimentaires comme le jus de pamplemousse peuvent aussi empêcher certains cytochromes de fonctionner et induire des concentrations toxiques. Enfin, plus l'on prend de médicaments dans une même période, plus les mécanismes de détoxification que constituent les cytochromes sont perturbés : cela conduit à des **interactions médicamenteuses** dont le principal risque est d'induire une toxicité individuelle de chaque médicament.

Une fois libérés du foie, les médicaments atteignent la circulation sanguine et traversent le rein, dans lequel se trouvent des structures filtrantes appelées **glomérules**. Elles agissent comme une machine à laver le sang et sont capables d'épurer en un jour cinquante fois le volume sanguin. Ainsi, beaucoup de médicaments terminent leur vie dans les urines et sont éliminés dans les eaux usagées domestiques. Pour certains d'entre eux, la quantité éliminée dans les urines peut être très importante, ce qui pose des problèmes non négligeables en termes de pollution environnementale pour la faune et la flore aquatiques.

À cause de ces barrières et systèmes d'élimination mis en place par le corps, moins d'un centième de la quantité absorbée peut se retrouver dans la circulation sanguine une ou deux heures après la prise du comprimé. Les concentrations circulantes tournent le plus souvent autour du microgramme par litre de sang, soit la concentration équivalente à celle que l'on aurait si l'on dissolvait quelques comprimés d'aspirine dans une piscine olympique. À partir du sang, le médicament doit traverser les membranes cellulaires des vaisseaux sanguins pour se diffuser dans l'organisme et rejoindre sa cible. Nouvelle difficulté : les médicaments peuvent en effet se répartir n'importe où dans le corps, et pas seulement là où se trouve leur cible… Ce manque de spécificité au niveau de la distribution peut être à l'origine de l'apparition d'effets secondaires. Certains organes sont néanmoins très peu perméables ; c'est le cas du cerveau qui est protégé par une couche de cellules formant la **barrière hémato-encéphalique**. La mise au point de molécules destinées au traitement des maladies cérébrales constitue une difficulté supplémentaire d'autant plus qu'il n'existe pas de modèle simple permettant de prévoir la pénétration cérébrale des futurs médicaments chez l'homme. D'autres tissus « à risque » ont une protection beaucoup moins étanche. C'est le cas du fœtus, qui est protégé par une barrière placentaire perméable aux médicaments pris par la mère comme par exemple les antidépresseurs, les neuroleptiques ou la nicotine. Un manque de suivi de la prise de médicaments chez la femme enceinte peut ainsi se traduire par des conséquences dramatiques pour la maturation du fœtus et du nouveau-né. Un exemple tristement célèbre a été la thalidomide, un médicament utilisé contre les nausées qui a causé des malformations très handicapantes chez des milliers de nouveau-nés dans les années 1960. Ce genre d'incident n'est théoriquement plus possible maintenant car des tests visant à étudier l'effet des médicaments sur la reproduction ont été rendus obligatoires dans le cadre du développement des nouvelles molécules.

Les médicaments peuvent-ils tout soigner ?

En analysant l'histoire du médicament sur plusieurs décades, il apparaît clairement que les médicaments aident à mieux soigner le large éventail de maladies qui touchent notre organisme. Associés aux progrès des techniques médicales de diagnostic et de chirurgie, les médicaments contribuent incontestablement à l'allongement de notre durée de vie et à sa qualité. En plus, la mise au point de nouvelles générations de médicaments capables de remplacer des gènes et protéines défaillants ouvre de prometteuses perspectives pour lutter contre les maladies génétiques. Ainsi naissent des espoirs pour guérir des maladies comme la mucoviscidose, les myopathies et des maladies cérébrales neurodégénératives. On pourrait donc croire que les médicaments finiront par vaincre toutes les maladies à force de bénéficier des progrès de la chimie, des biotechnologies et des connaissances de la biologie des maladies.

En réalité, nous ne pouvons pas manifester un tel optimisme. Force est de constater que les médicaments ne peuvent pas tout soigner et que dans certaines pathologies, ils peuvent même perdre leur efficacité au cours du traitement. L'un des exemples frappants concerne les antibiotiques et les antiviraux, qui ont révolutionné la lutte contre les infections. Les **antibiotiques** comme les pénicillines sont progressivement apparus après la Seconde Guerre mondiale et ont sauvé des millions de malades qui, auparavant, mouraient très fréquemment à la suite de la moindre infection. Les antiviraux sont d'apparition plus récente et montrent de nos jours leur efficacité dans le traitement du sida, par exemple. Pour autant, nous savons aujourd'hui qu'en raison de leur usage prolongé ou trop fréquent, des phénomènes de **résistance** apparaissent : les agents pathogènes comme les bactéries ou les virus ne sont plus détruits par les antibiotiques ou les antiviraux car ces pathogènes sont capables de se modifier biologiquement pour échapper au médicament ennemi. Cette modification des agents pathogènes est bien illustrée par les multiples virus grippaux qui se succèdent et affolent la planète entière. Cet exemple nous montre que les médicaments peuvent perdre leur efficacité parce que la cible à traiter se modifie au cours du temps.

C'est aussi ce qui se passe dans le traitement contre les cancers. Les cellules tumorales peuvent se modifier au cours du traitement pour échapper au médicament, en développant des mécanismes de résistance. L'un d'eux se traduit par l'apparition progressive de protéines dans la paroi des cellules cancéreuses. Ces protéines sont capables d'attraper les anticancéreux, les empêchant ainsi de pénétrer à l'intérieur de la cellule et donc d'agir sur la tumeur.

Ces deux exemples de l'infectiologie et de la cancérologie témoignent que les cibles à soigner se modifient au fil de l'évolution du monde vivant, ce qui rend les médicaments moins efficaces, voire inactifs. Nous vivons donc une course entre l'évolution des cibles à soigner et la recherche de nouveaux médicaments.

Hélas, notre pessimisme sur la possibilité de soigner toutes les maladies avec des médicaments est encore alimenté par d'autres raisons. Beaucoup de maladies sont encore mal connues au niveau des dérèglements biologiques qui les font apparaître et se développer. Les maladies cérébrales neurodégénératives comme la maladie d'Alzheimer sont encore insuffisamment décryptées au niveau des anomalies génétiques et biologiques qui les caractérisent. On sait bien que des plaques constituées par des empilements de filaments de protéines se déposent sur les neurones pour, littéralement, les étouffer et dérégler la transmission des messages neurobiologiques, mais on ignore l'origine et la complexité des mécanismes qui conduisent à la formation de ces plaques. Quelles conséquences sur le choix des thérapeutiques utilisables chez ces malades ? Mis à part des médicaments traitant les symptômes de cette maladie, aucun médicament n'est disponible pour éradiquer la formation des plaques sur les neurones. Nul doute que les recherches sont actuellement orientées vers la découverte de substances capables d'agir au cœur même du processus qui déclenche cette maladie.

Depuis la découverte du génome humain et de ses quelque vingt-cinq mille gènes, un immense espoir de maîtriser enfin l'origine de toutes les maladies, et donc de les traiter, est né. Fol espoir, espoir vain ! Il est évident que nous disposons de plus en plus d'informations sur les anomalies du génome d'un individu donné, que l'on peut prédire à partir de leur connaissance la survenue probable d'une maladie au cours de l'existence de ce même individu. Mais, derrière ces anomalies, des multitudes de réseaux de protéines commandées par ces gènes peuvent s'avérer défaillants. Ce n'est plus une seule cible à traiter, mais plusieurs certainement qui restent à être identifiées d'une manière aussi complexe que de retrouver une aiguille de couturière dans une botte de foin !

Enfin, comme nous l'avons vu dans le chapitre consacré au parcours du médicament dans l'organisme, il existe des barrières limitant l'action des médicaments et empêchent l'efficacité de thérapies qui, à l'échelle des expériences menées dans les laboratoires sur des préparations cellulaires, s'avèrent pourtant prometteuses. Ces barrières tiennent surtout à la complexité du parcours du médicament dans l'organisme. Comment accéder aux neurones du cerveau quand on sait qu'une barrière physiologique, la barrière hémato-encéphalique, contrôle de manière stricte l'accès des médicaments au cerveau ? Comment adresser au bon endroit des gènes-médicaments qui auront mille difficultés à accéder au noyau cellulaire, car naturellement ils ne sont pas aptes à franchir des membranes biologiques ? Il existe encore des obstacles que nos connaissances actuelles ne peuvent aider à franchir, un jour peut-être, rien n'est impossible, mais le chemin est encore long pour envisager de traiter les maladies au cœur même de leur développement. Le médicament est l'un des plus précieux objets apportés à l'homme pour vaincre les maladies, mais peut-il tout soigner ? Non, il reste encore beaucoup de chemin à parcourir.

Effets indésirables et toxicité

Une des craintes lors de la création d'un nouveau médicament tient aux effets indésirables ou toxiques qui peuvent lui être associés. Pour les acteurs qui développent des médicaments, il est coutumier d'estimer le plus rapidement possible le rapport qui existe entre l'efficacité du médicament, donc le bénéfice pour le patient, et sa toxicité, c'est-à-dire le risque qu'encourt ce dernier vis-à-vis du nouveau « candidat ». Cette dualité du bénéfice et du risque signifie qu'il n'existe pas de médicament non toxique. En fait, l'art de préparer un bon médicament consiste à sélectionner, parmi les substances candidates, celles qui présentent l'efficacité maximale et les risques minimaux. Plus ce rapport bénéfice-risque est élevé et plus le créateur du médicament sera sécurisé quant à sa future utilisation clinique. L'industrie pharmaceutique affronte un véritable parcours du combattant en essayant de mettre sur le marché un médicament. Il est courant de dire que les chimistes doivent inventer dix mille molécules pour espérer aboutir à un médicament. Parmi les raisons qui expliquent ce si faible taux de réussite figurent le manque d'efficacité thérapeutique et l'apparition d'effets toxiques. Faut-il ici rappeler la survenue d'accidents dramatiques observés après la commercialisation de médicaments ? Évoquons à nouveau les risques de malformation fœtale liées à la consommation de médicaments au cours de la grossesse avec, cette fois, les traitements au distilbène, une hormone de synthèse prescrite voici plus de trente ans pour prévenir les fausses couches et les accouchements prématurés : ce traitement a malheureusement entraîné des malformations génitales graves chez les petites filles nées de mères traitées par cette hormone. Plus récemment, deux médicaments parmi les plus prescrits ont été retirés du marché. L'un, un anti-cholestérol phare, la cérivastatine, a été responsable du décès de plusieurs patients suite à la survenue de rhabdomyolyse, une maladie qui détruit les cellules musculaires. L'autre était un médicament anti-douleur, le rofécoxib, dont la consommation augmentait gravement les risques d'infarctus chez les patients. Sans que les études épidémiologiques soient très précises, on estime que cent mille décès observés tous les ans aux États-Unis sont dus à un mauvais usage des médicaments – ce chiffre serait d'au moins dix mille décès par an en France. Les raisons tiennent souvent à un manque de respect des prescriptions, à des associations médicamenteuses trop nombreuses créant des interactions graves entre les médicaments, potentialisant ainsi les effets toxiques.

De nos jours, les risques de toxicité des médicaments sont l'objet d'études très poussées avant leur utilisation chez l'homme. De multiples modèles d'étude testent tous les risques toxiques possibles, dont ceux pouvant créer des mutations sur nos gènes ou induire des processus de cancérogenèse. Les résultats de ces essais conditionnent la mise sur le marché du médicament. Malgré toutes ces études, menées quelquefois sur plusieurs années, certains effets toxiques ou indésirables ne peuvent être observés qu'après la commercialisation du médicament, c'est-à-dire lorsque plusieurs millions de patients l'ont déjà consommé. Ces observations sont produites dans le cadre de procédures de surveillance ou de pharmacovigilance définies par les autorités de santé de chaque pays. Pourquoi, malgré ces multiples précautions, observe-t-on des effets indésirables ou toxiques ?

Intrinsèquement, tous les médicaments sont toxiques, et ce pour plusieurs raisons. La première tient au caractère intrusif du médicament dans notre organisme. Nous pouvons facilement comprendre que des substances chimiques étrangères à la composition de notre organisme puissent être indésirables. C'est la base de la **vaccination**, où l'introduction d'un antigène, le **vaccin**, entraîne une réaction de l'organisme qui fabrique des anticorps, capables de neutraliser l'antigène. Cette réaction est bénéfique dans le cadre de la vaccination mais peut aussi se révéler négative si le vaccin ou tout autre type de médicament entraîne l'apparition d'allergies plus ou moins graves, qui sont de véritables réactions de rejet de ce corps étranger introduit dans notre organisme. L'une des façons de lutter contre ce caractère intrusif est, comme nous l'avons déjà vu au chapitre « Comment agit un médicament ? », de développer des médicaments de nature identique aux substances qui composent notre organisme, comme les protéines et les hormones. Si les doses de ces produits homologues sont bien adaptées, alors leur tolérance sera excellente.

La dose ou la quantité de médicament absorbée, voilà la seconde raison des effets pervers des médicaments. Les doses actives sont très variables d'un médicament à l'autre. Elles peuvent s'étaler de quelques fractions de milligramme à plusieurs grammes mais la propriété la plus importante est la marge de sécurité qui existe pour un médicament donné entre sa dose thérapeutique et celles qui vont déclencher les effets toxiques. Là réside une des complexités de l'usage des médicaments car cette marge est extrêmement variable d'un médicament à l'autre. Elle peut être, au pire, inexistante, et ce type de médicament présentera des risques importants de toxicité, alors que ceux dont la marge est très large offriront beaucoup plus de sécurité. Les médicaments ne sont donc pas égaux entre eux vis-à-vis des risques de toxicité. En guise de conseil, respectez de manière très stricte les doses prescrites par le médecin et informez-vous auprès de votre pharmacien des risques qui peuvent survenir avec tel ou tel médicament.

Il y a une troisième raison qui rend l'usage d'un médicament difficile, voire dangereuse. Beaucoup d'entre eux ne possèdent pas un seul type d'effets thérapeutiques ou toxiques. Pourquoi ? Les médicaments agissent en général sur plusieurs cibles de l'organisme – enzymes, diverses cibles protéiques comme les récepteurs, gènes –, elles-mêmes localisées dans divers organes. À cette diversité d'action du médicament s'associe la diversité de ses effets. Évoquons à titre d'exemple le cas de l'aspirine. Avec des doses de l'ordre de 200 mg, on observe un effet anticoagulant puis des effets antipyrétiques (qui combat tent la fièvre) et analgésiques, vers 500 mg, des effets anti-inflammatoires, vers 1 g et dès l'usage de doses plus élevées apparaissent des effets indésirables comme des nausées, vomissements et troubles respiratoires ; si les doses augmentent encore, des effets toxiques graves désorganisant l'équilibre métabolique de l'organisme peuvent mettre en cause l'évolution du patient.

Les médicaments ne sont donc pas égaux entre eux en termes d'efficacité ou de risques. Une dernière raison qui explique la survenue d'effets indésirables ou toxiques tient aux caractéristiques constitutives du patient lui-même. Sommes-nous tous égaux dans notre réaction à la prise d'un médicament ? Nous ouvrons ici un vaste domaine d'hypothèses sur la sensibilité particulière de chaque individu à un traitement. Comme nous l'avons vu, le parcours du médicament au sein d'un organisme est complexe. Avant d'atteindre sa cible, le médicament est susceptible d'interagir avec de nombreuses protéines, comme les enzymes du métabolisme qui déterminent son sort puis, lors de son interaction avec les cibles moléculaires, d'autres protéines, comme les récepteurs avec leurs cascades de messagers, sont également concernées dans la génèse de l'effet, qu'il soit thérapeutique ou toxique. Les récentes connaissances sur le génome et **protéome** (qui regroupe toutes les protéines exprimées par chacun des deux cents différents types cellulaires d'un organisme humain) nous apprennent que toutes ces cibles peuvent varier d'un sujet à l'autre. La mutation d'un gène codant pour un enzyme du métabolisme peut conduire à l'inactivation de la protéine qui ne pourra plus éliminer le médicament de l'organisme, lequel médicament s'accumulera et deviendra toxique. Dans d'autres situations, l'amplification de l'activité de certains gènes peut entraîner l'apparition de métabolites actifs engendrant des effets indésirables. Ce type d'événement peut être répliqué à l'échelle de tous les partenaires de l'organisme qui interagissent avec le médicament. Nous mesurons ainsi l'extraordinaire richesse des événements, pas toujours prévisibles, qui peuvent déterminer des effets indésirables ou toxiques lors de la consommation de médicaments par un patient donné.

Ces observations conduisent les spécialistes du médicament à envisager dans un proche futur des traitements personnalisés, ou à la carte, tenant compte des caractéristiques génétiques et biologiques de chaque individu : une nouvelle ère de la thérapie médicamenteuse s'ouvre.

La nouvelle génération de médicaments

Si, jusqu'à la fin du dernier siècle, la conception des médicaments était principalement du ressort des chimistes, nous bénéficions aujourd'hui de nouveaux outils thérapeutiques qui font appel aux sciences de la génomique et de la biotechnologie. Ces nouveaux médicaments ont un double objectif : d'une part s'adresser à des pathologies pour lesquelles aucun traitement satisfaisant n'existe et d'autre part procurer des médicaments plus spécifiques et donc moins toxiques. En effet, les traditionnelles petites molécules qui ciblent les récepteurs ou les enzymes sont *a priori* spécifiques mais peuvent agir sur des cibles auxquelles elles ne sont pas destinées. La raison en est simple : du fait de leur petite taille, elles sont involontairement accueillies par des récepteurs ou des enzymes qui ne sont pas liés à la pathologie ciblée, et vont donc conduire à des effets indésirables. La nouveauté a été d'accroître la taille du médicament de façon à favoriser sa spécificité et à diminuer sa tendance à se lier à des cibles étrangères. Ce concept a conduit à remplacer les petites molécules par des protéines capables de produire le même effet. Cependant, les protéines ont été pendant longtemps difficiles à produire et c'est seulement au début des années 1980 que l'on a pu mettre en œuvre efficacement des techniques de production de protéines thérapeutiques par génie génétique. Une des premières protéines mises sur le marché a été l'hormone de croissance, destinée aux enfants qui ont des problèmes de croissance du fait d'un déficit de synthèse par l'hypophyse. Cette protéine possède une taille cent fois supérieure à celle d'un médicament chimique. Grâce aux techniques de production par des méthodes cellulaires utilisant des cellules de levures ou de hamster, cette hormone peut être maintenant produite en grande quantité et se substituer à la tristement fameuse hormone de croissance extraite de cerveaux de cadavres qui a causé la mort de plus de cent enfants.

Ce nouveau médicament a été une révolution et a été accompagné par d'autres protéines, comme l'insuline pour soigner le diabète, l'érythropoïétine pour traiter l'anémie ou les interférons pour les maladies virales ou la sclérose en plaques. Plus de deux cents médicaments de ce type existent maintenant sur le marché et la moitié des médicaments actuellement en cours de développement appartiennent à cette catégorie. S'il est indéniable que ces médicaments seront plus chers que les médicaments classiques, on peut en espérer un réel bénéfice thérapeutique du fait de leur spécificité d'action et de leur toxicité considérablement réduite par rapport aux traitements classiques.

Parmi cette nouvelle classe de médicaments, on doit mentionner la catégorie particulière des anticorps thérapeutiques. Les **anticorps**, désignés aussi sous le terme d'**immunoglobulines**, sont produits de façon naturelle par les cellules de notre système immunitaire pour combattre les infections. L'organisme humain est capable de produire autant d'anticorps qu'il existe d'agents étrangers, soit une infinité de possibilités. Ce sont en fait des médicaments que notre organisme est capable de produire lui-même et cette capacité est utilisée lors de la vaccination où l'on apprend à nos cellules immunitaires à reconnaître des agents infectieux (voir le chapitre « Les médicaments peuvent-ils tout soigner ? »). Depuis quelques années, on a appris à fabriquer artificiellement des anticorps dirigés contre des protéines impliquées dans la progression des cancers, des maladies inflammatoires ou des allergies. Dans le cas des cancers, par exemple, on sait que leur progression est liée à la sécrétion de facteurs de croissance qui vont induire la prolifération des vaisseaux sanguins, puis la colonisation des tissus par les cellules cancéreuses. On peut faire produire à des souris des anticorps dirigés contre ces facteurs de croissance. Ces anticorps transformés par génie génétique de façon à être compatibles avec l'environnement humain sont ensuite administrés par voie intraveineuse et utilisés pour traiter certains cancers.

Cet exemple et la vingtaine d'anticorps mis sur le marché suscitent de véritables espoirs car on peut raisonnablement penser que l'on pourra produire autant d'anticorps qu'il y a de protéines impliquées dans une pathologie. Néanmoins, des difficultés existent car les anticorps sont de très grosses molécules qui ne peuvent ni traverser facilement l'organisme, ni pénétrer dans le cerveau. Ici, les nanotechnologies apporteront des solutions. L'idée est de construire des vecteurs chimiques qui permettront de conduire plus aisément les médicaments vers leur lieu d'action. Ainsi, les chimistes travaillent sur la synthèse de nanopolymères encapsulant les protéines et anticorps thérapeutiques permettant une administration par voie orale. En effet, à ce jour, les protéines et les anticorps doivent être administrés par piqûre intraveineuse ou cutanée, contrairement aux médicaments classiques qui sont pris par voie orale, geste thérapeutique bien évidemment beaucoup plus simple. De même, ces nouveaux médicaments ne peuvent s'adresser à des maladies cérébrales car ils sont incapables de traverser la barrière hémato-encéphalique : leur incorporation dans des nanovecteurs ciblant les cellules du cerveau pourrait alors faciliter leur passage et étendre les applications thérapeutiques.

Si les biotechnologies et nanotechnologies laissent également présager de réelles avancées dans la découverte de nouveaux médicaments, le génie génétique est également appelé à des promesses grâce à la **thérapie génique**. L'approche consiste à faire pénétrer un gène particulier dans nos cellules de façon à stimuler la production d'une protéine qui agira comme un médicament. Si la thérapie génique est proposée pour les maladies héréditaires, de nombreuses applications sont envisagées pour les maladies immunitaires, neurologiques ou le cancer. Même si, à ce jour, cette approche n'a pas conduit à des médicaments approuvés, les dizaines d'essais cliniques en cours partout dans le monde laissent présager des médicaments validés dans une dizaine d'années.

Enfin, la chimie du futur ne sera pas seulement issue des progrès technologiques mais profitera de l'observation des systèmes vivants. Les champignons, les plantes ou les organismes marins constituent un riche réservoir de molécules chimiques qui n'a pas été encore complètement exploité à ce jour. À l'opposé des mammifères, qui ont appris à fuir les dangers en se déplaçant, les plantes ou les petits organismes terrestres et marins ont appris à se défendre grâce à la synthèse de toxines chimiques destinées à détruire les intrus. On estime que la nature contient plusieurs millions de composés chimiques dont nous ne connaissons qu'une infime partie et qui constituent un formidable potentiel pour la découverte de futurs médicaments. De leur exploitation, nous tirerons certainement de nouveaux remèdes. Enfin, la solution ne sera-t-elle pas de diminuer notre consommation de médicaments ? Comme on vient de le voir, la nature, et nous en profitons à travers notre alimentation, nous offre un bon nombre de moyens de nous protéger des maladies. Ainsi, une étude épidémiologique vient de montrer que l'apparition de cancer du côlon peut être réduite par une nourriture basée sur les fruits et, fait étonnant, seules les pommes semblent impliquées dans cet effet. Ce fruit riche en polyphénols semble donc doué de pouvoirs antioxydants protecteurs particulièrement efficaces. On peut en attendre d'autres effets et il est possible qu'une prochaine étude démontre qu'une Petite Pomme du savoir stimule nos fonctions cérébrales… et les protège même du vieillissement !

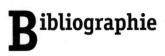ibliographie

Éric Ezan, *Par où passe mon médicament...* Illustrations de Marine Ludin, « Les mini-pommes » n°25, Le Pommier, 2008.

Astrid Vabret, *Hommes et virus, une relation durable ?*, « Les Petites Pommes du savoir » n°107, Le Pommier, 2008.

Stuart B. Levy, *Le Paradoxe des antibiotiques*, « Regards », Belin, 1999.

Table des matières

Achevé d'imprimer sur rotative
par l'imprimerie Darantiere à Dijon-Quetigny
en octobre 2009

N° éditeur : 090437-01
Dépôt légal : octobre 2009
N° d'impression : 29-1155
Imprimé en France